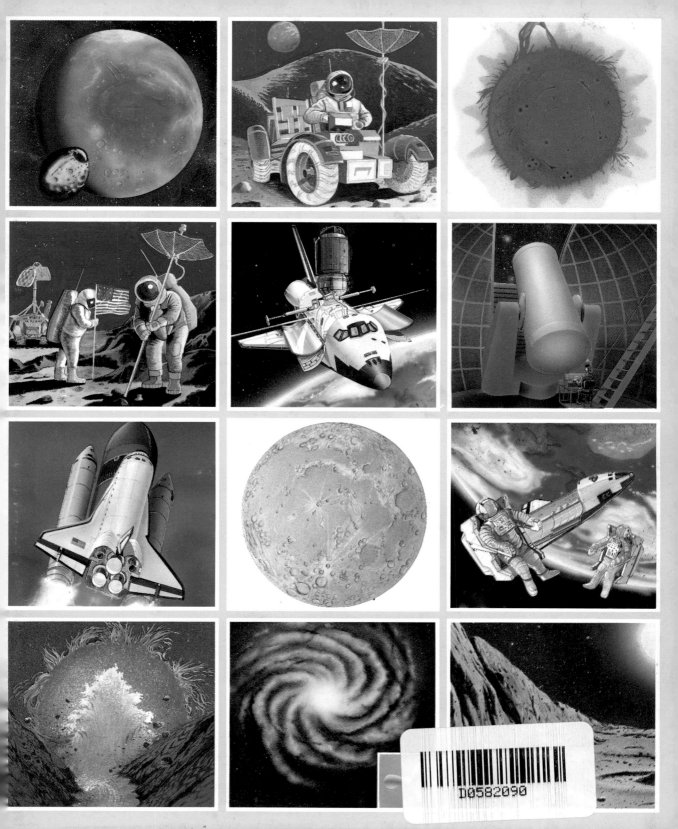

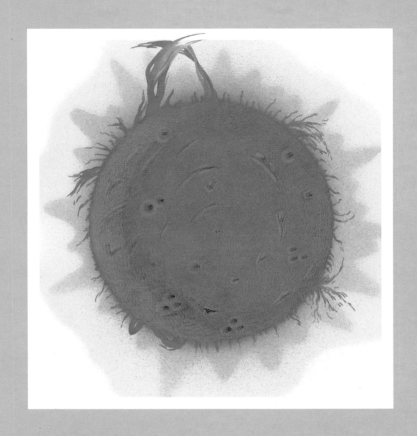

LE SYSTEME SOLAIRE

BIG BANG

Big Bang signifie "Grand Boum". C'est le nom que les savants ont donné à l'énorme explosion qui a secoué l'Univers.

Ce "Grand Boum" aurait eu lieu il y a quinze milliards d'années. Après l'explosion, la chaleur est énorme. Puis tout se refroidit et, peu à peu, de minuscules billes emplissent l'Univers.

Pendant des millions d'années, ces billes bougent, se cognent les unes contre les autres pour former des nuages de gaz et de poussières.

Gaz et poussières s'échauffent jusqu'à donner naissance aux premières étoiles qui, petit à petit, se regroupent en galettes gigantesques appelées galaxies.

Il y a 10 milliards d'années, une immense lumière a illuminé un coin de notre galaxie, la Voie lactée. C'est alors que le Soleil est né.

Après le Big Bang, de nouvelles étoiles naissent dans les galaxies, puis elles explosent en libérant d'énormes quantités de gaz et de poussières qui formeront à leur tour de nouvelles étoiles.

Dans notre galaxie, attirées par le Soleil, les poussières se mettent à tourner très vite. Elles se réunissent et forment des blocs de plus en plus gros : c'est la naissance des planètes.

Depuis, neuf planètes voyagent autour du Soleil. Parmi elles, notre planète, la Terre. Mais peut-être que, dans d'autres galaxies, il existe une planète semblable à la nôtre.

VOYAGE AUTOUR DU SOLEIL

Neuf planètes tournent autour du Soleil. On dit qu'elles
appartiennent au système solaire.

Sur cette image, tu vois le chemin que parcourt chaque planète
dans son voyage autour du Soleil.

Les planètes mettent plus ou moins de temps pour faire le tour du Soleil. Les plus rapides sont celles qui sont les plus proches du Soleil.

Reconnais-tu la Terre ? C'est la petite planète bleue assez proche du Soleil.

NEUF PLANÈTES

Les planètes du système solaire sont de tailles différentes. Les voici, de la plus proche du Soleil jusqu'à la plus lointaine.

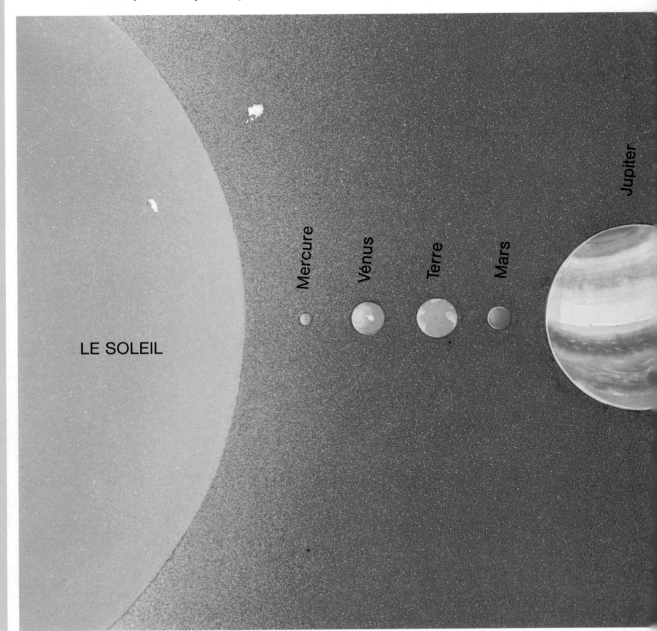

Jupiter

Mercure

Vénus

Terre

Mars

LE SOLEIL

Dans l'ordre : Mercure - Vénus - Terre, planète bleue - Mars - Jupiter - Saturne - Uranus - Neptune - Pluton.

Le mot planète signifie "vagabond." C'est le nom que les astronomes ont utilisé pour désigner ces astres qui bougent tout le temps.

À toi de jouer :
Montre la planète la plus proche du Soleil et dis son nom, puis montre la plus lointaine, la plus grosse et la plus petite.

LE SOLEIL EST TRÈS GROS

La distance du centre du Soleil à sa surface est deux fois plus grande que la distance de la Terre à la Lune.

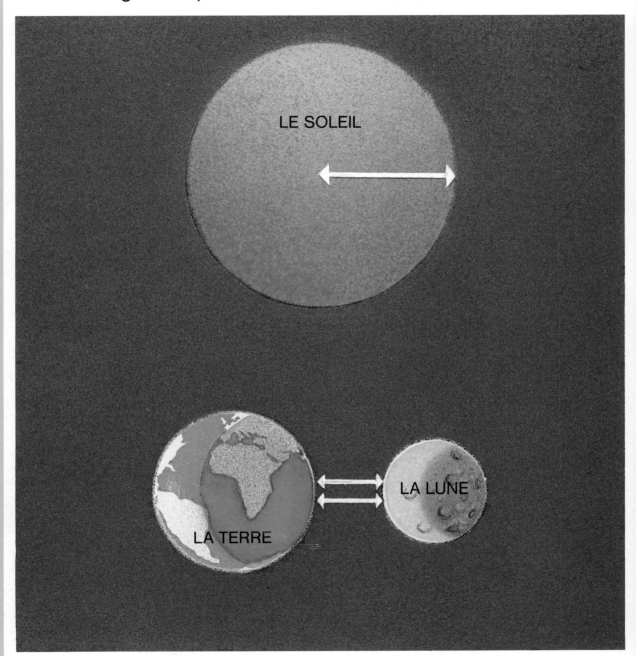

La distance de la Terre à la Lune est de 384 000 km ! C'est très long. Alors, imagine la grandeur du Soleil...

LE SOLEIL

Et maintenant, observons le Soleil. C'est une grosse étoile qui explose sans arrêt depuis des milliards d'années.

Attention, ne regarde jamais le Soleil en face ! Tu abîmerais tes yeux, même avec des lunettes de soleil.

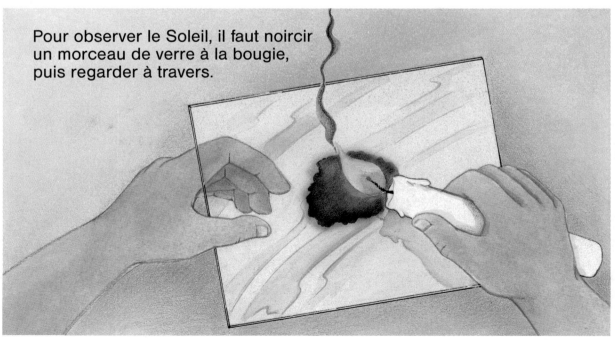

Pour observer le Soleil, il faut noircir un morceau de verre à la bougie, puis regarder à travers.

RAPPROCHONS-NOUS DU SOLEIL

La surface du Soleil ressemble à la peau d'un pamplemousse géant qui bougerait sans arrêt et qui lancerait des flammes comme un dragon !

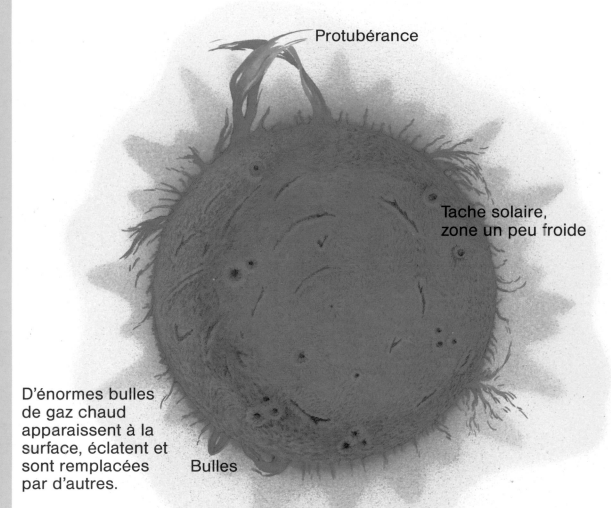

Protubérance

Tache solaire, zone un peu froide

D'énormes bulles de gaz chaud apparaissent à la surface, éclatent et sont remplacées par d'autres.

Bulles

Au centre du Soleil, la chaleur est intense : 15 millions de degrés, tu imagines, c'est une vraie chaudière !

De grosses explosions projettent du gaz à des milliers de kilomètres. Il redescend sous forme de langues de feu, que l'on appelle des protubérances.

18

LA MORT DU SOLEIL

Le Soleil est né il y a quatre milliards d'années ! Pendant encore cinq milliards d'années, il va brûler ses gaz... puis ses réserves s'épuiseront.

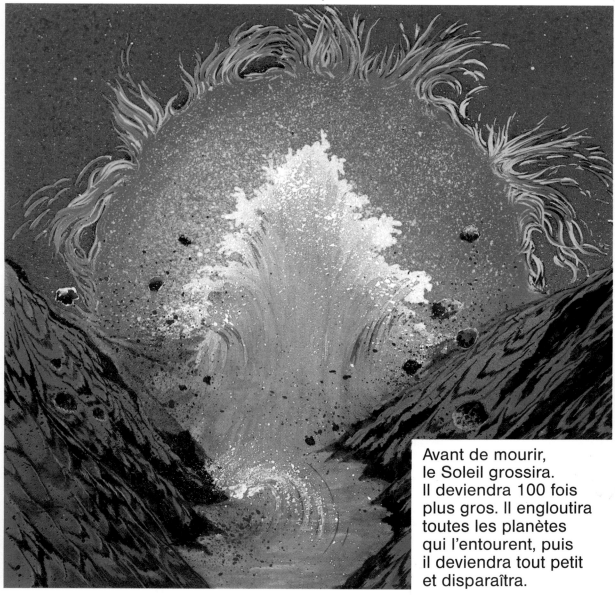

Avant de mourir, le Soleil grossira. Il deviendra 100 fois plus gros. Il engloutira toutes les planètes qui l'entourent, puis il deviendra tout petit et disparaîtra.

Quand le Soleil s'approchera de la Terre, la température sera insupportable, tout brûlera. Les hommes seront sûrement partis se réfugier sur une autre planète, dans une autre galaxie.

LE TROU NOIR

Comme le Soleil, les étoiles se mettent à grossir énormément avant de mourir, puis elles deviennent toutes petites et disparaissent.

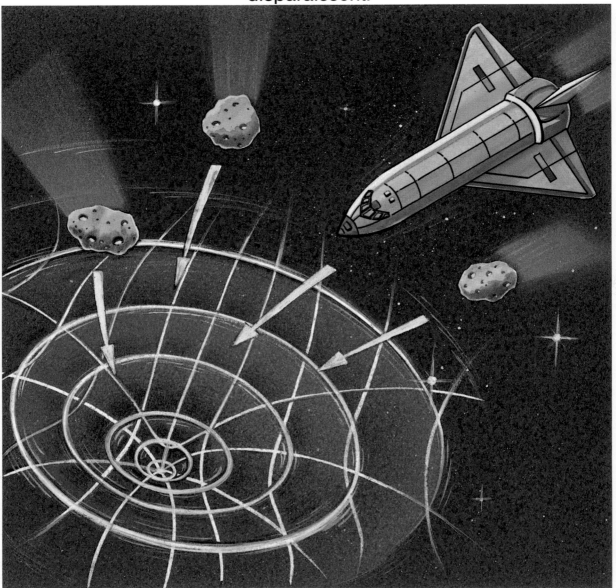

Quand une étoile devient petite, dans son centre il se passe un phénomène mystérieux. Des forces attirent tout ce qui passe près d'elle, avion, fusée, cailloux et même la lumière : c'est un trou noir.

LE MOUVEMENT DES PLANÈTES

Le Soleil est tellement énorme qu'il attire à lui les neuf planètes. Pour ne pas tomber sur le Soleil, les planètes tournent très vite sur elles-mêmes...

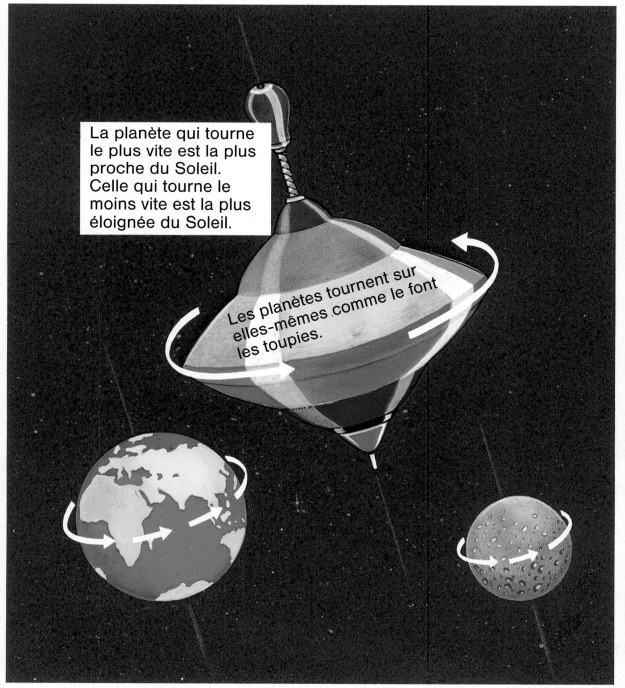

AURORES BORÉALES - AURORES AUSTRALES

Ces manchots, qui habitent au pôle Sud, voient une belle aurore australe. Les petits Esquimaux, qui habitent au pôle Nord, peuvent voir des aurores boréales.

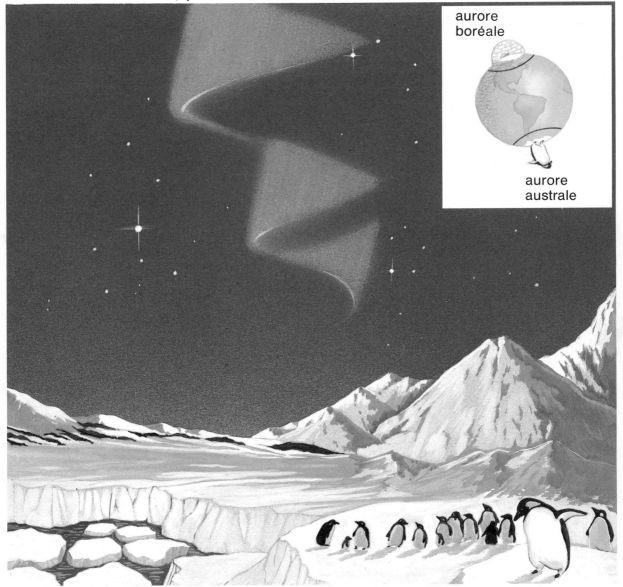

aurore boréale

aurore australe

Les aurores sont provoquées par des poussières projetées par le Soleil et qui apparaissent la nuit dans le ciel sous forme de belles lumières.

LE SOLEIL ET LA TERRE

La vie sur Terre est possible grâce au Soleil et à l'eau. Mais un peu plus ou un peu moins de soleil, et tout peut changer.

Si le Soleil nous envoyait moins de chaleur, des pays entiers disparaîtraient sous la glace. Voici, par exemple, une rue de Montréal, au Canada. Brr ! il ne ferait pas bon s'y promener.

Par contre, si le Soleil nous envoyait plus de chaleur, la glace des pôles fondrait et, partout sur Terre, le niveau des océans et des rivières remonterait.

QUELQUES QUESTIONS

Écoute chaque question, puis ferme les yeux et cherche
la bonne réponse dans ta tête.

Le Soleil est-il
une étoile ou
une planète ?

Au pôle Nord,
on peut voir des
"aurores boréales"
ou des "aurores
australes" ?

Notre galaxie
s'appelle la "Voie
lactée" ou la "Voie
laquée" ?

Si tu réponds bien à ces questions du premier coup, bravo !
Tu es déjà très savant !

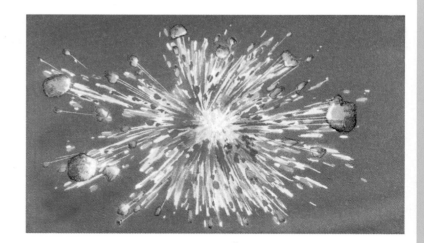

"Big Bang" signifie
"Grand Boum" ou
"Grand Eclair" ?

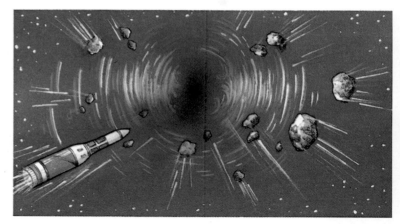

Que se passerait-il
si une fusée
s'approchait
d'un trou noir ?

Laquelle de ces
trois planètes a
des anneaux
autour d'elle :
Vénus, Saturne
ou Pluton ?

DRÔLE D'AURORE BORÉALE
Achouna, le petit Esquimau, admire l'aurore boréale. Vois-tu cinq choses bizarres dans ce paysage polaire ?

À LA CHASSE AUX LETTRES

Voici VÉNUS, TERRE, SATURNE et MARS. Chaque planète a perdu une lettre. Retrouve la place des lettres : R, A, U, T.

VÉN S

TE RE

SA URNE

M RS

DE PRÈS - DE LOIN
Voici le Soleil, vu depuis différentes planètes. Montre les images du Soleil, de la plus petite à la plus grande.

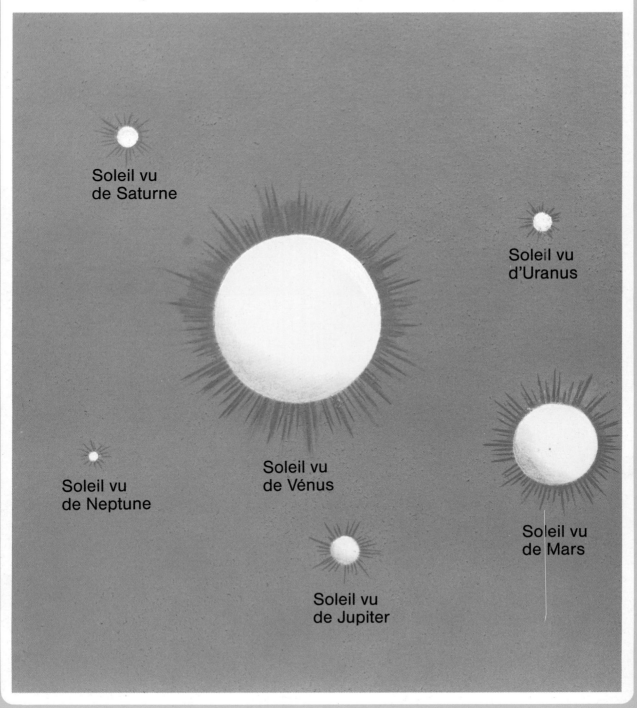

Soleil vu de Saturne

Soleil vu d'Uranus

Soleil vu de Neptune

Soleil vu de Vénus

Soleil vu de Mars

Soleil vu de Jupiter

LES PLANETES

MERCURE

Voici Mercure, la planète la plus proche du Soleil. Mercure est deux fois plus petite que la Terre, mais elle pèse plus lourd.

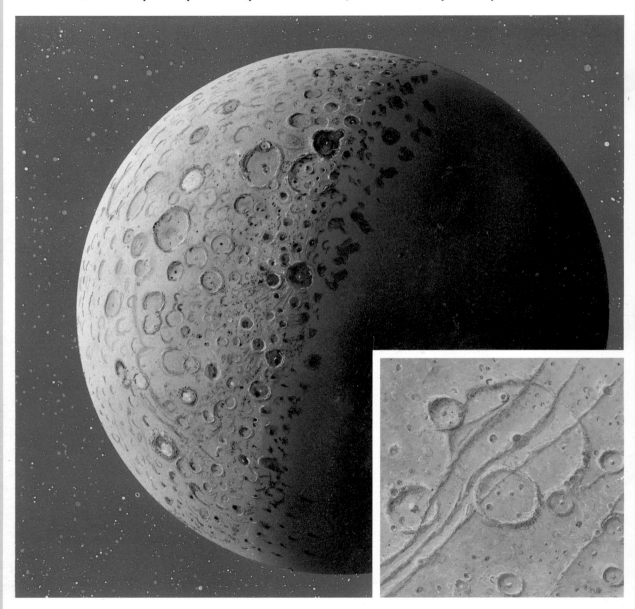

Une face de Mercure est toujours éclairée par le Soleil. L'autre face est toujours dans la nuit. Le jour, la température peut avoisiner 430 °C. C'est très chaud !

La surface de Mercure est couverte de cratères : de grosses pierres sont tombées très durement, car il n'y a pas d'air pour freiner leur chute.

Un jour sur Mercure, c'est comme 59 jours sur Terre. Un an sur Mercure, c'est comme 88 jours sur Terre. Mercure est difficile à observer, car elle est trop proche du Soleil, qui nous éblouit.

VÉNUS

On appelle Vénus l'"Étoile du berger". Pourtant, ce n'est pas une étoile, puisqu'elle ne brille que si le Soleil l'éclaire.

Les soirs d'été, on peut voir Vénus dans le ciel, à l'heure où les bergers rentrent leurs moutons.

Vénus a presque la même taille que la Terre. Elle possède aussi des montagnes et des volcans. La température est très élevée. Vénus est entourée d'une épaisse couche de nuages.

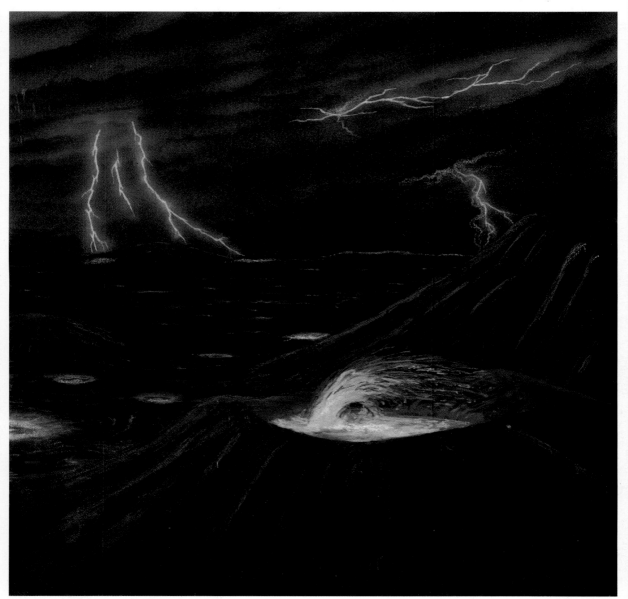

À sa surface, il fait sombre et très chaud. Même du métal y fondrait. Des orages éclatent sans cesse, faisant jaillir des éclairs.
Un jour sur Vénus, c'est comme 243 jours sur Terre. Un an, c'est comme 224 jours sur Terre. Un jour est plus long qu'une année ! 33

LA TERRE

Voici deux vues qui représentent deux faces de notre planète, la Terre. Sais-tu pourquoi on l'appelle la "planète bleue" ?

C'est parce qu'une grande partie de la planète Terre est recouverte par les océans. Depuis l'espace, les astronautes peuvent voir le pays où tu habites, au milieu de tout ce bleu.

UNE AUTRE VUE DE LA TERRE

Sous les nuages qui entourent la Terre, essaie de repérer les océans, les continents et le pays où tu vis.

Tous les jours, les météorologues reçoivent des satellites des images comme celles-ci. En observant le mouvement des nuages, ils peuvent prévoir la pluie et le beau temps.

35

APPARITION DE LA VIE SUR LA TERRE

Un milliard d'années après la formation de notre planète, la vie est apparue. Tout a commencé au fond des océans...

Au début, la Terre était une énorme boule de roche fondue.

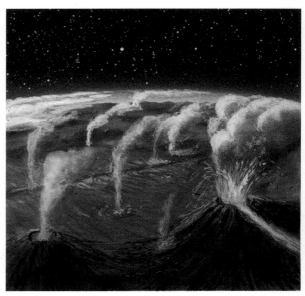

Puis elle se refroidit et des nuages se forment.

Les pluies tombent et remplissent les océans.

Grâce au Soleil et à l'eau, des plantes se développent.

Si on compare la Terre à l'homme, elle est gigantesque. Mais par rapport à l'Univers, notre planète n'est pas plus grosse qu'un grain de sable.

Les plantes envahissent petit à petit la planète.

Puis les premiers animaux naissent : les dinosaures.

Les singes sont apparus il y a 30 millions d'années.

Et depuis 3 millions d'années, l'homme peuple la Terre.

LA TERRE TOURNE, TOURNE

La Terre tourne sur elle-même en 24 heures, c'est-à-dire en une journée. Quand il fait jour d'un côté, il fait nuit de l'autre.

Nous voyons le Soleil apparaître le matin à l'est, et disparaître le soir à l'ouest.

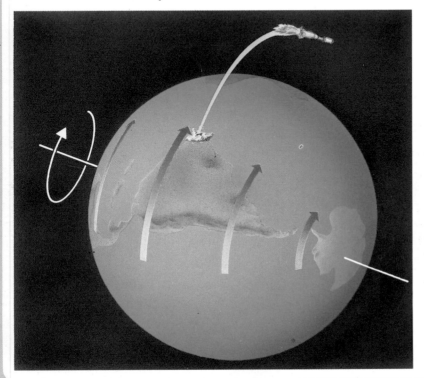

Pour sortir de la couche d'air qui enveloppe la Terre, la fusée doit atteindre une vitesse énorme.

VOYAGE AUTOUR DU SOLEIL

La Terre fait le tour du Soleil en 365 jours, c'est-à-dire en une année, ou encore en quatre saisons.

Suis avec ton doigt les différentes positions de la Terre. Commence par la droite, c'est la position de notre planète pendant l'hiver, puis c'est le printemps, l'été, et enfin l'automne, en bas du dessin.

JUPITER ET SES SATELLITES

Jupiter est une planète géante, grosse comme 1 500 fois la Terre. Un an sur Jupiter, c'est comme douze ans sur la Terre.

Cette planète, qui est la plus grosse du système solaire, est entourée de 16 satellites, dont 4 sont très gros ! Sur l'image, tu vois la surface d'un de ses satellites, Io, avec ses volcans en éruption !

Les astronomes ont découvert sur la surface de Jupiter une tache rouge : elle serait due à une énorme tempête !
Tu peux apercevoir cette tache en bas du dessin.

Ce sont des nuages que l'on aperçoit en surface.

noyau solide

La planète Jupiter est composée d'un noyau solide entouré de gaz et de nuages. On ne pourra jamais se poser à sa surface, car la fusée s'enfoncerait dans les nuages !

SATURNE

La planète Saturne est connue pour sa couronne d'anneaux.
C'est une planète grande comme neuf fois la Terre.

23 satellites tournent autour de Saturne. Le plus gros, entouré
de brouillard, s'appelle Titan. A sa surface, il fait – 180 °C. C'est
très très froid. Pense que l'eau gèle à 0 °C !

Composée de gaz, Saturne est si légère qu'elle pourrait flotter sur un océan... S'il existait un océan assez grand pour recevoir cette grosse planète !

Saturne est entourée de milliers d'anneaux très brillants, constitués de blocs de glace et de roches... Ces blocs de tailles variées tournent autour de Saturne à toute vitesse.

URANUS, NEPTUNE, PLUTON
Comme nous sommes loin du Soleil ! Voici les trois dernières planètes : les géantes Neptune et Uranus, et Pluton.

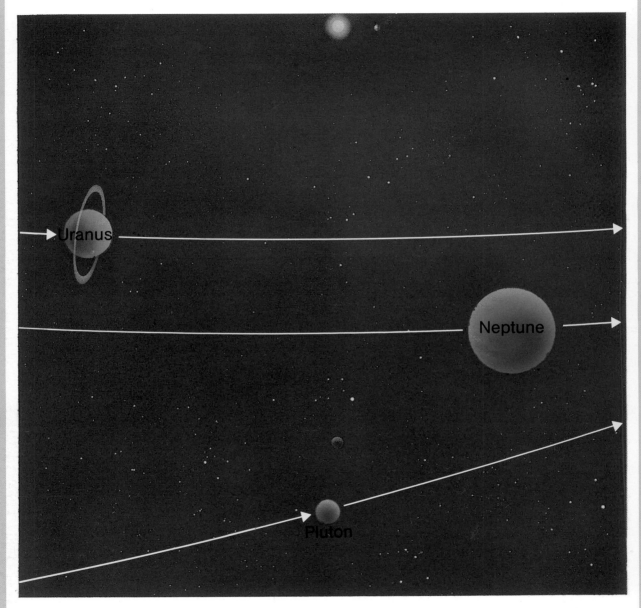

Il faudrait 20 ans pour aller en fusée sur Neptune. Pas plus grosse que la Lune, Pluton se trouve à six milliards de kilomètres du Soleil ! La planète Uranus a des anneaux autour d'elle. Ils ont été observés il n'y a pas très longtemps.

LES JOURS DE LA SEMAINE

Autrefois, les astronomes ne connaissaient que cinq planètes, plus la Lune. Et chaque planète a donné son nom a un jour de la semaine.

Lundi, c'est le jour de la Lune ; mardi, celui de Mars ; mercredi, celui de Mercure ; jeudi, celui de Jupiter ; vendredi, celui de Vénus et samedi, celui de Saturne.

UN MOIS OU UN AN ?

Quand tu sauras à quoi correspondent un mois, une année, tu comprendras que nous vivons tous au rythme de l'Univers !

Un **mois**, c'est le temps que met la **Lune** pour tourner autour de la **Terre**.

Un **an**, c'est le temps que met la **Terre** pour tourner autour du **Soleil**.

UN JOUR, UNE PLANÈTE

Tu as appris qu'à certaines planètes correspond un jour de la semaine. Relie avec ton doigt la planète et son jour.

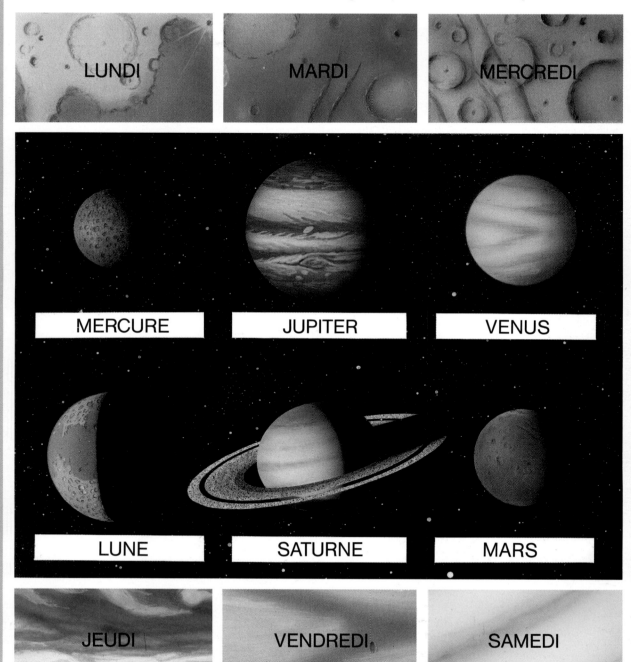

LUNDI

MARDI

MERCREDI

MERCURE

JUPITER

VENUS

LUNE

SATURNE

MARS

JEUDI

VENDREDI

SAMEDI

JOYEUX ANNIVERSAIRE !

Tu as vu dans les premières pages de ce chapitre que les planètes ne mettent pas toutes le même temps pour tourner autour du Soleil.

Le voyage de Saturne dure 30 ans. Une année-Saturne, c'est 30 ans sur Terre... Le voyage d'Uranus dure 84 ans. Une année-Uranus, c'est 84 ans sur Terre...

Ces trois personnages fêtent leur premier anniversaire. L'un vit sur Terre, l'autre sur Saturne, le troisième sur Uranus. Qui a une "année-Terre" ? Qui a une "année-Saturne" ? Qui a une "année-Uranus" ?

UN CIEL TRÈS ÉTRANGE !

Ce soir, Emilie découvre de drôles de choses dans le ciel.
Regarde bien, toi aussi. Que vois-tu de bizarre ?

LA JOURNÉE DE BENJAMIN

Raconte ce que fait Benjamin sur ces trois images. Indique à quel endroit du ciel se trouve le Soleil pendant ces trois scènes.

Le Soleil apparaît, c'est le matin.

Benjamin joue au ballon.

Le Soleil est haut, c'est le début de l'après-midi.

Benjamin se lève.

Le Soleil disparaît à l'horizon, c'est le soir.

Benjamin ferme les volets, il va dormir.

CATASTROPHE DANS L'ESPACE !

Trois planètes se sont cassées en deux ! Peux-tu les reconstituer ? Les as-tu reconnues ?

VRAI OU FAUX ?

À chaque affirmation, souviens-toi de ce que tu viens de lire et réponds soit : "c'est vrai", soit : "c'est faux".

(A) VÉNUS est plus proche du Soleil que la TERRE.
VRAI ou FAUX ?

(B) MARS est la planète la plus éloignée du Soleil.
VRAI ou FAUX ?

(C) JUPITER est la plus grosse planète du système solaire.
VRAI ou FAUX ?

(D) La TERRE fait le tour du Soleil en un jour.
VRAI ou FAUX ?

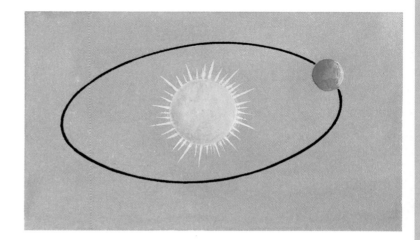

(E) Samedi, c'est le jour de la planète MERCURE.
VRAI ou FAUX ?

Mercure

Vénus

Terre

(F) La TERRE est aussi appelée la planète bleue.
VRAI ou FAUX ?

UN GOÛTER DE L'ESPACE

Voici un paysage spatial bien appétissant. Tu peux même l'éclairer de quelques bougies, à l'occasion d'un anniversaire.

Pour la pâte sablée :
250 g de farine
125 g de sucre
125 g de beurre
2 jaunes d'œuf
1 jus de citron

Mélange les ingrédients dans un saladier. Etale la pâte à l'aide d'un rouleau à pâtisserie. Avec un emporte-pièce, prépare des étoiles. Avec un couteau, découpe la Lune. Cuisson : 20 minutes à feu doux.

Préparation du massepain

On peut ajouter 4 gouttes d'extrait d'amande.

Il faut : 150 g de sucre
2 cuill. à soupe de farine
50 g de beurre.

Mélange les ingrédients dans le saladier. Forme des petites boules pour faire des planètes. Pas besoin de cuisson !

Et maintenant, installe les étoiles et les planètes sur un grand plateau recouvert d'aluminium froissé. Bon appétit !

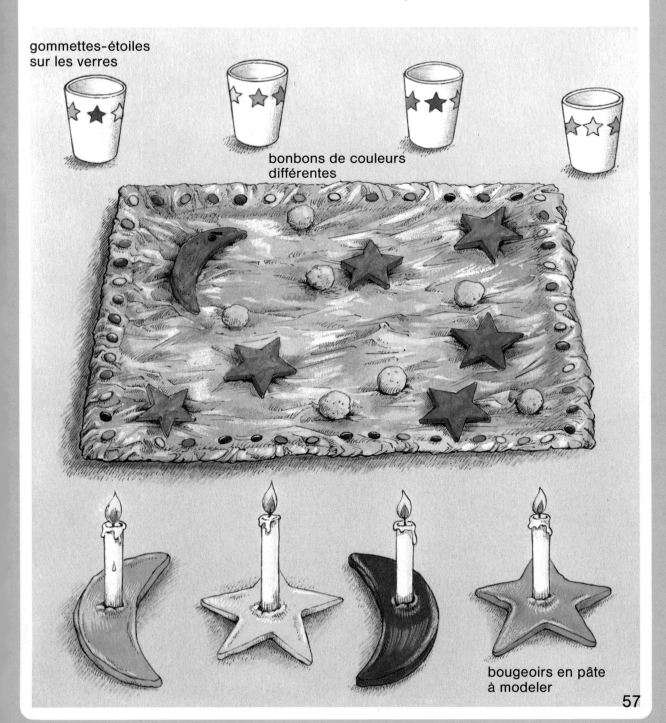

gommettes-étoiles
sur les verres

bonbons de couleurs
différentes

bougeoirs en pâte
à modeler

DESSINE UNE PLANÈTE

Comme personne n'a jamais vu les planètes qui existent dans les autres galaxies, amuse-toi à les dessiner !

L'illustrateur s'est amusé à dessiner deux planètes très drôles pour te donner des idées : cherche d'autres formes !

Regarde cette planète-oiseaux ! C'est amusant !

Prends du papier, des crayons, et invente ta planète...

ETOILES
ET GALAXIES

TU PEUX JOUER À L'ASTRONOME !

Tu peux observer les étoiles et la Lune à l'aide d'une lunette astronomique, en te faisant aider par une grande personne.

Pour jouer les astronomes, choisis une belle nuit étoilée sans nuages. Grâce à ta lunette, tu peux apercevoir les cratères de la Lune (regarde la face de la Lune, page 84). Fais-toi aider par une grande personne, car la mise au point est difficile.

IL Y A TRÈS LONGTEMPS DE CELA !

Depuis toujours, les hommes observent le ciel. Grâce à eux,
nous arrivons à mieux connaître l'Univers.

Temple
qui servait
d'observatoire

Il y a très longtemps, en Amérique, les Mayas ont
construit des observatoires. Ils connaissaient très bien
la planète Vénus. Ils croyaient même qu'elle portait malheur !

Pendant la préhistoire, les hommes alignaient des pierres, les menhirs. Ceux représentés ci-dessous sont visibles en Angleterre.

Certains savants disent que c'était pour repérer les mouvements du Soleil et des étoiles. Ces blocs de pierre ont été disposés ainsi il y a 5 000 ans ! On se demande encore comment les hommes ont pu soulever ces grosses pierres !

RONDE OU PLATE ?

Les hommes n'ont pas toujours été d'accord sur la forme de la Terre. Certains disaient qu'elle était ronde, d'autres qu'elle était plate.

Certains hommes pensaient que la Terre était le centre de l'Univers et que le Soleil et les autres planètes tournaient autour d'elle.

D'autres disaient que la Terre était un disque qui flottait à l'intérieur d'une boule creuse sur laquelle étaient accrochés le Soleil et les étoiles.

LA VOIE LACTÉE

As-tu déjà vu ce voile blanc au milieu des étoiles dans une nuit sans lune ? On l'appelle la Voie lactée.

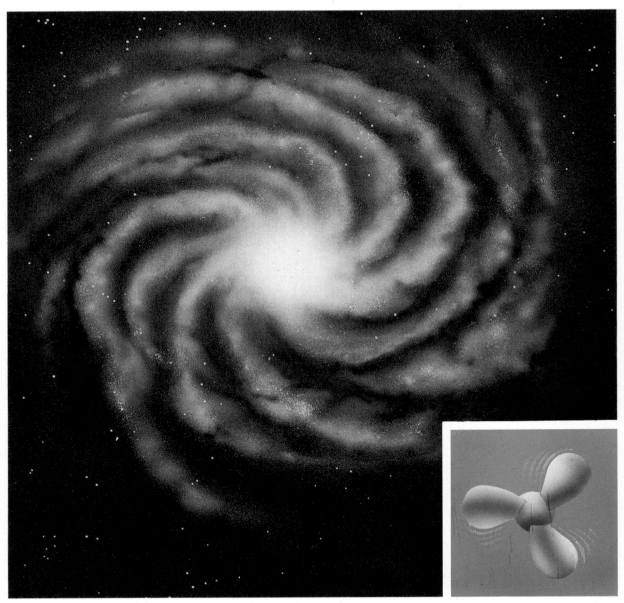

Tu te souviens que la Voie lactée est le nom de notre galaxie. Elle contient 200 milliards d'étoiles ! Voici la Voie lactée vue de face. Elle ressemble à une gigantesque hélice qui tournerait dans l'Univers.

LES FORMES DES GALAXIES

La Voie lactée, qui ressemble à une hélice, est appelée galaxie spirale. Mais il existe d'autres formes de galaxies.

Voici une galaxie qui ressemble un peu à la nôtre. Mais regarde la grande barre qui la traverse en son milieu !

Voici une galaxie plus ronde. C'est la forme de la plupart des galaxies. On dirait un ballon de rugby !

LES CONSTELLATIONS

Regarde ces étoiles. Quand on les relie par un trait, on voit apparaître des formes dans le ciel. Ce sont des constellations.

Les cinq étoiles qui forment un W appartiennent à la constellation de Cassiopée. Les autres étoiles qui forment une grande casserole à long manche appartiennent à la Grande Ourse.

L'ÉTOILE POLAIRE

Connais-tu l'Étoile polaire ? Elle indique toujours le nord. Sur le dessin de la page de gauche, c'est l'étoile qui brille le plus.

Selon les saisons, Cassiopée et la Grande Ourse n'ont pas la même position par rapport à l'Étoile polaire. À gauche en hiver, à droite au printemps.

En été   En automne

ALROUKABA

Ce nom savant est celui de l'Étoile polaire ! Comme toutes les étoiles, elle scintille dans le ciel.

Pour vérifier que l'Étoile polaire donne bien la direction du nord, tu peux utiliser une boussole : son aiguille indique toujours le nord.

DE L'ASTÉROÏDE A LA MÉTÉORITE

Un astéroïde est un bloc de rocher plus ou moins gros. Entre Mars et Jupiter, on peut observer une ceinture d'astéroïdes.

Parfois, un astéroïde change de trajectoire et vient heurter la Terre. Mais, rassure-toi, cela n'arrive que très rarement !

DES ÉTOILES FILANTES

Quand de tout petits astéroïdes, qui se sont échappés, entrent en contact avec l'air qui entoure la Terre, ils se mettent à brûler.

Les petits astéroïdes se transforment alors en boules de feu. On peut les apercevoir la nuit, car ils brillent dans le ciel avant d'atteindre le sol : on les appelle alors des étoiles filantes.

DES MÉTÉORITES

Quand un très gros astéroïde tombe sur la Terre, on l'appelle une météorite. On peut apercevoir sa trace.

Il y a longtemps, en Sibérie, une énorme boule de feu s'est écrasée sur le sol, brûlant tout à des kilomètres à la ronde. Certains savants disent que c'était une météorite.

UN ÉNORME TROU

Il y a des milliers d'années, une grosse météorite est tombée dans un désert en Amérique. Elle a formé un cratère géant.

Imagine un peu la grandeur du cratère ! Il fait 1,2 km de long. Demande à tes parents de te montrer quelle distance représente 1 km. Tu pourras ainsi deviner la grosseur de la météorite.

UNE COMÈTE

C'est un gros bloc de glace et de poussière invisible. Quand il est près du Soleil : la glace fond et un nuage lumineux apparaît.

As-tu entendu parler de la comète de Halley ? Elle fait un grand voyage autour du Soleil et repasse régulièrement près de notre planète. On peut alors l'apercevoir dans certaines régions de la Terre. C'est un beau spectacle.

QUELLE EST NOTRE GALAXIE ?

Regarde bien le dessin. Il représente les trois galaxies que tu as apprises. Elles ont chacune une forme différente.

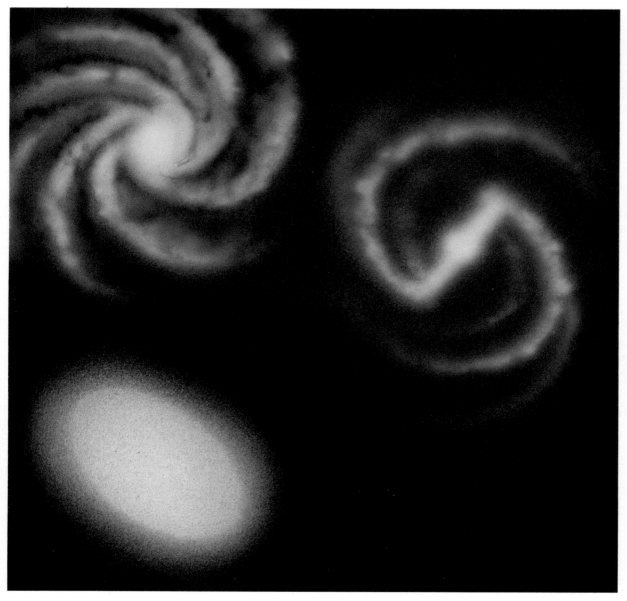

Montre la galaxie qui ressemble à un ballon de rugby. Peux-tu dire le nom de la galaxie qui ressemble à une hélice ? Est-ce qu'une galaxie contient des étoiles et des planètes ?

OÙ EST LE NORD ?

Avec un ciel sans étoiles, pas question de repérer le nord grâce à l'Etoile polaire. Quel instrument les marins vont-ils utiliser ?

boussole

longue-vue

toupie

Aujourd'hui, les marins disposent d'ordinateurs de bord et de machines modernes pour se diriger. Ils n'ont plus besoin de l'Étoile polaire.

GARE AUX MÉTÉORITES !

Tous ces astéroïdes circulent dans l'espace depuis très longtemps. L'un d'eux va tomber sur Terre et devenir "météorite".

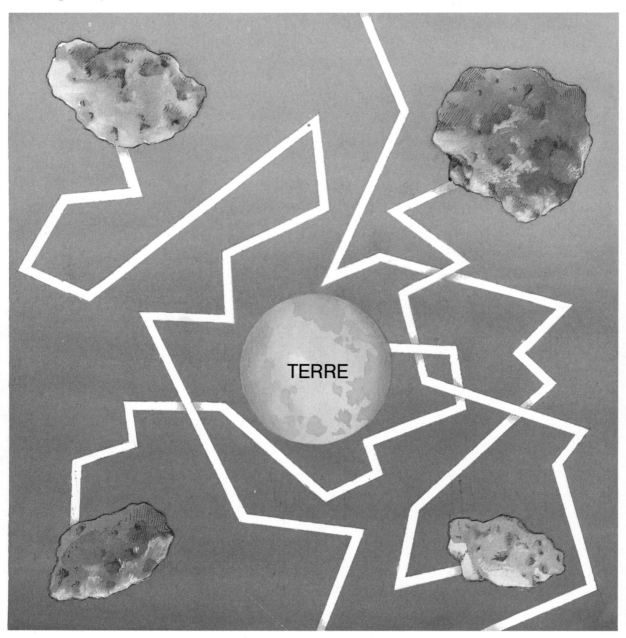

Avec ton doigt, suis le chemin que va parcourir chaque astéroïde. Tu trouveras quel est la future météorite !

UN PRÉNOM DANS LES ÉTOILES

Le prénom de cette petite fille est inscrit dans le ciel. Pour le lire, relie avec ton doigt les lettres : E - S - T - E - L - L- E.

Les savants ont donné des noms aux étoiles les plus grandes et les plus brillantes, mais ce sont des noms très difficiles.

NUIT DE PLEINE LUNE

Deux dessinateurs ont représenté ce petit coin de campagne.
Ils n'ont pas vu la même chose. Trouve les six différences.

DRÔLES D'ÉTOILES !

Triste nuit pour les étoiles ! Chacune d'elles a perdu une branche. Peux-tu les retrouver dans le paysage ?

Sais-tu pourquoi les étoiles scintillent ? Parce qu'avant d'arriver jusqu'à nous leur lumière traverse des couches d'air qui enveloppent la Terre ; comme l'air tremble, la lumière des étoiles semble trembler elle aussi !

CARNAVAL DE L'ESPACE

Paillettes, gommettes, des crayons rouges et jaunes et un peu de patience... pour te transformer en magicien-soleil.

Colliers : Lune et étoile découpées dans du carton et collées sur un lacet noir.

Des paillettes dorées sur le visage.

Lune et Soleil découpés dans du carton et cousus sur un bandeau.

On coud l'étoile à la manche du T-Shirt.

Étoile filante en carton souple.

Ceintures en carton souple, décorées d'étoiles collées et fermées par un lacet.

Lune et Soleil en feutrine, cousus sur des chaussons.

82

LA LUNE

MONTAGNES ET PLAINES LUNAIRES

Avec une lunette astronomique, tu peux observer les cratères de la Lune. Ils ont été creusés par des météorites.

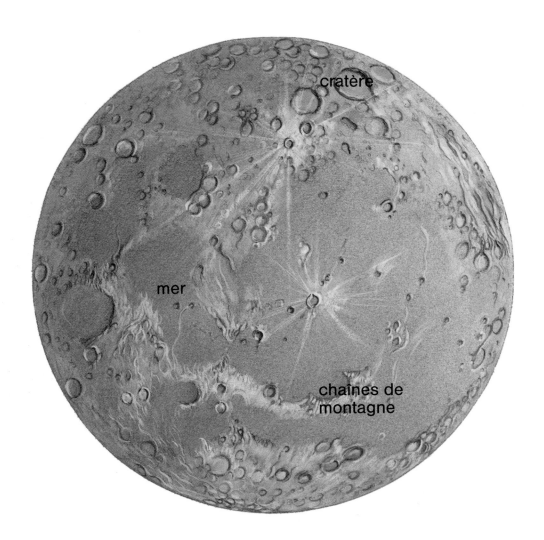

cratère

mer

chaînes de montagne

Depuis la Terre, on voit des taches sombres que l'on appelle les "mers". En fait, ce sont de grandes plaines : il n'y a pas d'eau sur la Lune ! Les zones claires correspondent aux montagnes.

LES DIFFÉRENTS VISAGES DE LA LUNE

Depuis la Terre, nous voyons la partie de la Lune que le Soleil éclaire. Voici les différentes "formes" de la Lune pendant un mois.

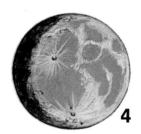
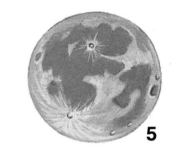
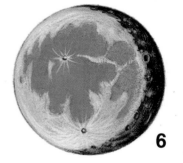
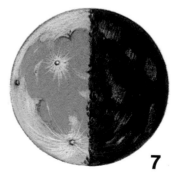
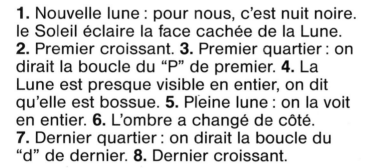

1. Nouvelle lune : pour nous, c'est nuit noire. le Soleil éclaire la face cachée de la Lune.
2. Premier croissant. **3.** Premier quartier : on dirait la boucle du "P" de premier. **4.** La Lune est presque visible en entier, on dit qu'elle est bossue. **5.** Pleine lune : on la voit en entier. **6.** L'ombre a changé de côté.
7. Dernier quartier : on dirait la boucle du "d" de dernier. **8.** Dernier croissant.

CLAIR DE TERRE

De la Lune, l'homme a pu admirer la surface bleutée de la Terre comme jamais il n'avait pu le faire auparavant.

Comme le vent n'existe pas sur la Lune, les traces des pas des astronautes ne s'effaceront jamais !

LA LUNE, SATELLITE DE LA TERRE

La Lune est une petite planète qui fait le tour de notre planète en 29 jours. C'est notre "satellite".

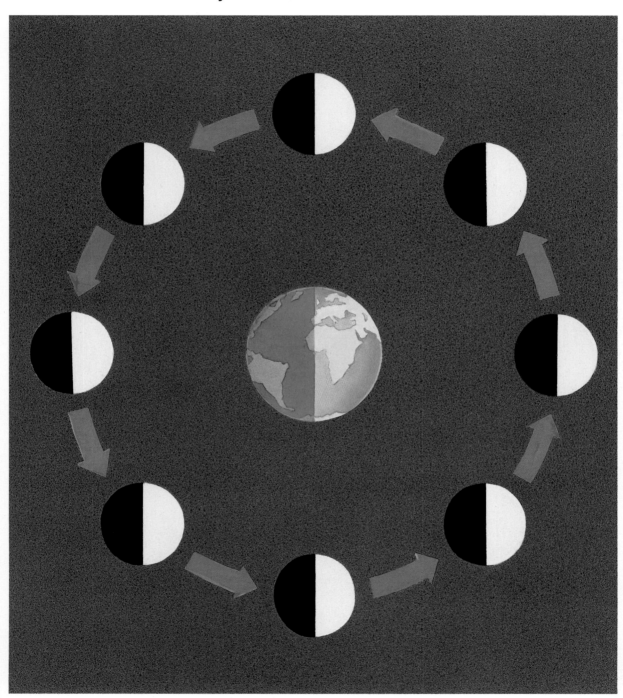

LA LUNE JOUE AVEC LE SOLEIL !

Quand la Lune vient cacher complètement le Soleil, c'est "l'éclipse de Soleil".

Pendant quelques minutes, sur une partie de la Terre, c'est la nuit en plein jour. On ne voit plus qu'une couronne lumineuse : c'est le bord du Soleil.

LA LUNE ET LES OCÉANS

Sais-tu que la Lune attire vers elle l'eau des océans de la Terre ? C'est ce qui provoque les marées.

La Terre a tourné. La Lune n'attire plus l'eau aussi fort.
Pendant six heures, la mer redescend : c'est la marée basse.

Pendant six heures, la mer est remontée sur la plage :
c'est la marée haute.

LE JARDINIER ET LA LUNE

Voici un jardinier qui connaît bien la Lune. Il sait que, pour avoir un beau jardin, il faut semer, tailler à certains moments.

C'est le premier quartier : il sème les tomates et les fleurs.

À la pleine lune, le jardinier sème les salades.

C'est le dernier quartier : le jardinier taille les rosiers.

C'est le dernier croissant : le jardinier sème les carottes.

ES-TU LUNATIQUE ?

Etre "lunatique", c'est être d'humeur changeante, comme la Lune, qui change souvent de "visage". Il existe d'autres expressions.

Ce garçon est de mauvaise humeur, il est "mal luné" !

Cet enfant demande la lune ! Il voudrait voler !

Cet écolier est dans la lune, il rêve !

Ces jeunes mariés partent en "lune de miel".

91

TON CALENDRIER LUNAIRE

Profite d'un mois de vacances d'été pour observer chaque soir la Lune et la dessiner sur une feuille en indiquant le jour.

Demande à ta famille quel est le premier jour du mois lunaire. Avec un compas, forme un rond et dessine la partie de la Lune que tu vois. Fais-toi aider pour coller entre elles les pages de ton livre.

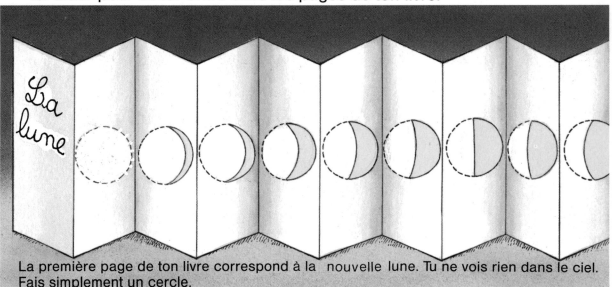

La première page de ton livre correspond à la nouvelle lune. Tu ne vois rien dans le ciel. Fais simplement un cercle.

Quand tu déplieras ton livre, tu découvriras toutes les formes de la Lune.

DRÔLE DE LUNE

Comme chaque soir, Isabelle est venue dire bonsoir à la Lune, mais aujourd'hui, il se passe quelque chose d'étrange...

Montre la Lune pendant son premier quartier. Montre la Lune pendant son dernier quartier. Montre la pleine lune. Peux-tu voir la nouvelle lune ?

ÉNIGMES DE LA LUNE

Écoute bien la consigne : pour vérifier si tes réponses sont justes, retourne quelques pages en arrière...

Montre ce que sème le jardinier à la pleine lune : carottes, fleurs, salades ou tomates.

Montre le visage de l'enfant qui est "mal luné" !

DECOUVERTE
DE L'ESPACE

LES PREMIERS VOYAGES DANS L'ESPACE

Comme on ne savait pas si un être vivant pouvait résister à un voyage spatial, on a d'abord envoyé... des chiens et des singes.

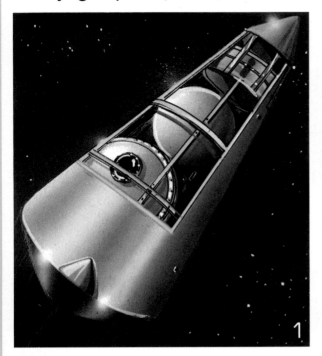

Le premier être vivant de l'espace a été la petite chienne Laïka, fig. 2.
En 1957, elle a voyagé à bord du premier satellite avec passager :
Spoutnik 2, fig. 1.
La première femme qui est allée dans l'espace est russe. Elle a effectué 48 fois le tour de la Terre, fig. 3.

Youri Gagarine

Vaisseau Vostok

John Glenn

Le premier homme de l'espace a été le Soviétique Youri Gagarine. Il a voyagé dans le vaisseau Vostok. Un an plus tard, John Glenn, un Américain, s'est envolé à son tour.

LE PREMIER VOYAGE VERS LA LUNE

Il y a plus de vingt ans, un équipage d'astronautes américains a vécu une grande aventure. Voici leur histoire.

ARMSTRONG

COLLINS

ALDRIN

Les trois astronautes ont pris place dans la cabine Columbia, tout en haut de la fusée Saturne 5.

DÉPART DE LA FUSÉE SATURNE 5

Décollage réussi ! La fusée a quitté le pas de tir. Dans trois jours, les astronautes seront sur la Lune !

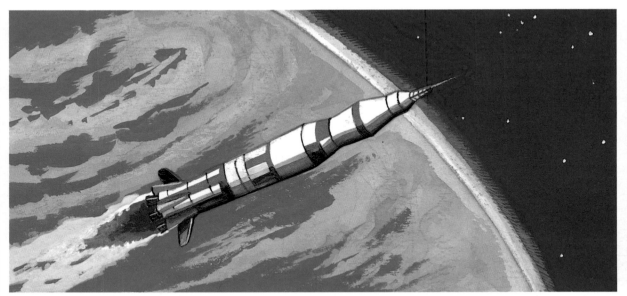

Les deux premiers étages de Saturne 5 vont retomber. Le dernier étage se dirigera vers la Lune.

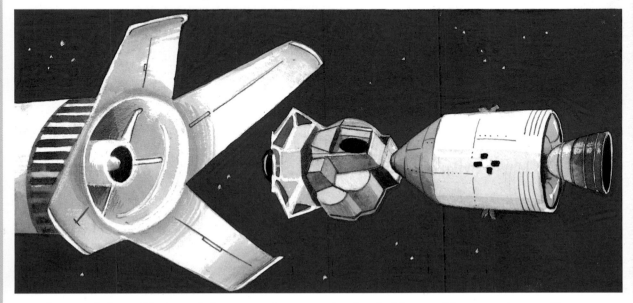

La cabine Columbia se sépare du troisième étage et continue sur sa trajectoire, en direction de la Lune.

99

LE LEM

Collins reste dans la cabine Columbia. Armstrong et Aldrin prennent place dans un petit engin spatial : le Lem.

Ce vaisseau, capable d'alunir, ressemble à une grosse araignée avec ses grands bras.

Le Lem se pose sur la Lune, dans un désert : la mer de la Tranquillité. Un astronaute sort du Lem.

PREMIERS PAS SUR LA LUNE

Pour la première fois, un astronaute va marcher sur la Lune.
Les hommes suivent l'événement à la télévision.

Armstrong est descendu le premier. Très ému, il prononce ces
mots : "Un petit pas pour l'homme, un grand pas pour l'humanité."
Aldrin et Armstrong vont ramasser des roches et poser des
instruments de mesure.

MISSION ACCOMPLIE !

Le Lem a rejoint Columbia et les trois astronautes de la mission Apollo 11 reviennent vers la Terre.

Freinée par un parachute, la capsule s'est posée sur la mer.
Les plongeurs vont aider les astronautes à sortir.
Ils rapportent avec eux des échantillons du sol lunaire.

LA JEEP LUNAIRE

Après Apollo 11, plusieurs équipages d'astronautes sont retournés sur la Lune. Ils ont emmené une voiture tout-terrain !

Dans sa jeep, l'astronaute emporte des caméras pour filmer le relief du sol. Il s'arrête pour ramasser des pierres lunaires. Sur la Terre, des savants les étudieront.

TRAVAILLER SUR LA LUNE

Sur la Lune, il n'y a pas d'air. Alors, tout est silence !
Les astronautes communiquent par des gestes ou par radio.

Planter le drapeau, installer l'antenne... Heureusement que
les astronautes restent très légers, malgré le poids de
leur scaphandre. Sur la Lune, on pèse six fois moins que
sur la Terre !

VIVRE EN APESANTEUR

Dans l'espace, plus rien n'a de poids. Lorsqu'on lâche un objet, il ne tombe pas, il flotte.

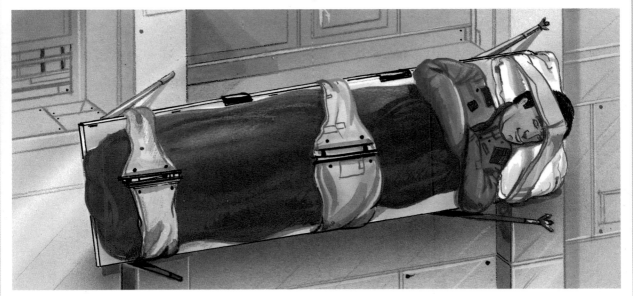

Comme tout flotte dans les vaisseaux spatiaux, les hommes fixent leurs sacs de couchage aux parois.

L'astronaute se déplace dans son vaisseau spatial en s'accrochant à des poignées.

Avant de partir dans l'espace, les astronautes se sont entraînés à vivre en apesanteur. Ils ont répété chaque geste.

Pour entretenir ses muscles, l'astronaute court sur un tapis roulant.

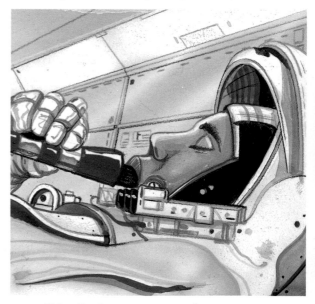

Il boit dans une sorte de biberon. Ainsi, les gouttes ne flottent pas.

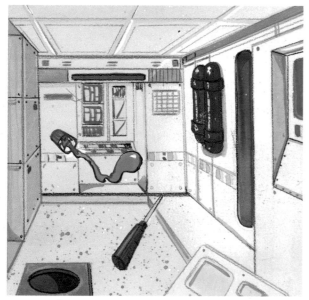

S'ils ne sont pas attachés, tous les objets flottent dans la cabine.

Les astronautes sont capables de réparer eux-mêmes leur engin.

LA FUSÉE ARIANE LANCE DES SATELLITES

Ariane est la fusée construite par les Européens. La voici sur sa rampe de lancement. Le départ va être donné.

La coiffe protège les satellites au départ de la fusée.

Le troisième étage largue les satellites à 667 km du sol.

Le deuxième étage se détachera à 147 km du sol.

Le premier étage se détachera à 74 km du sol.

gros réservoirs à poudre qui vont s'allumer pour aider au décollage de la fusée

LE VOYAGE D'ARIANE

Au fur et à mesure de son ascension, Ariane perd un à un ses étages. Pour chaque lancement, il faut une fusée toute neuve !

Bras et câbles se détachent. Les moteurs s'allument.

La fusée décolle. Les gros réservoirs se détachent.

Le premier étage retombe, le deuxième est mis à feu.

Le deuxième étage retombe, le troisième est mis à feu.

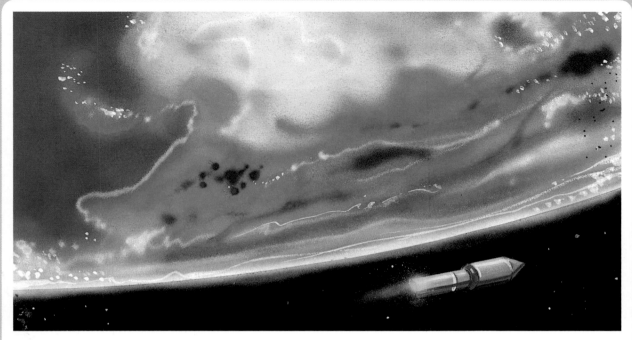

Le troisième étage tourne autour de la Terre. Il va larguer
le satellite avant de brûler en retombant dans l'atmosphère.

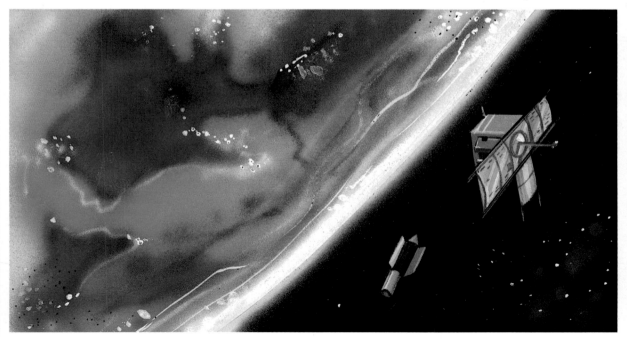

Le satellite ouvre ses panneaux solaires. Quand il aura atteint
la bonne position, il enverra des informations vers la Terre.

LA NAVETTE SPATIALE

Les fusées ne peuvent servir qu'une seule fois. C'est pourquoi les Américains ont fabriqué la navette spatiale.

La navette décolle, agrippée à un énorme réservoir flanqué de deux pousseurs. Elle reviendra sur Terre.

2. Après les deux pousseurs, la navette se sépare du gros réservoir, qui va brûler dans l'atmosphère.

1. Quand ils n'ont plus de carburant, les pousseurs retombent à la mer.

LE TRAVAIL DE LA NAVETTE

La navette tourne autour de la Terre. Les astronautes larguent des satellites ou les ramènent pour les réparer.

Un bras métallique sort de la soute et retient les astronautes qui quittent la navette pour travailler dans l'espace.

Une fois la mission accomplie, la navette revient sur Terre et atterrit comme un avion. Dans quelque temps, elle repartira.

LE TRAVAIL DES HOMMES DANS L'ESPACE

Lorsque les premiers hommes sont sortis dans l'espace pour effectuer des travaux loin de la navette, ils étaient reliés à leur cabine par un câble de sécurité.

Maintenant, les astronautes disposent d'un "fauteuil volant".
Ils peuvent s'éloigner jusqu'à 100 mètres de leur vaisseau.
Ils se déplacent en actionnant des manettes situées sur les
bras du "fauteuil".

Voici la future station européenne Colombus. Chercheurs et techniciens pourront y travailler pendant plusieurs semaines. Hermès "fera navette" entre la Terre et Colombus pour la relève des équipages.

DES SONDES EXPLORENT L'UNIVERS

Une sonde est un robot qui envoie des photos vers la Terre.
On l'envoie vers des planètes encore inaccessibles pour l'homme.

La sonde Mariner 10 survole Mercure.

Viking s'est posée sur Mars. Elle n'a pas trouvé de Martiens.

La sonde Voyager a survolé Jupiter et Saturne. Après avoir atteint Neptune, elle ira se perdre dans l'espace.

LES SATELLITES TRAVAILLENT POUR NOUS

Les satellites sont très utiles aux hommes. Ils leur permettent de communiquer entre eux. Ils servent aussi à connaître l'Univers.

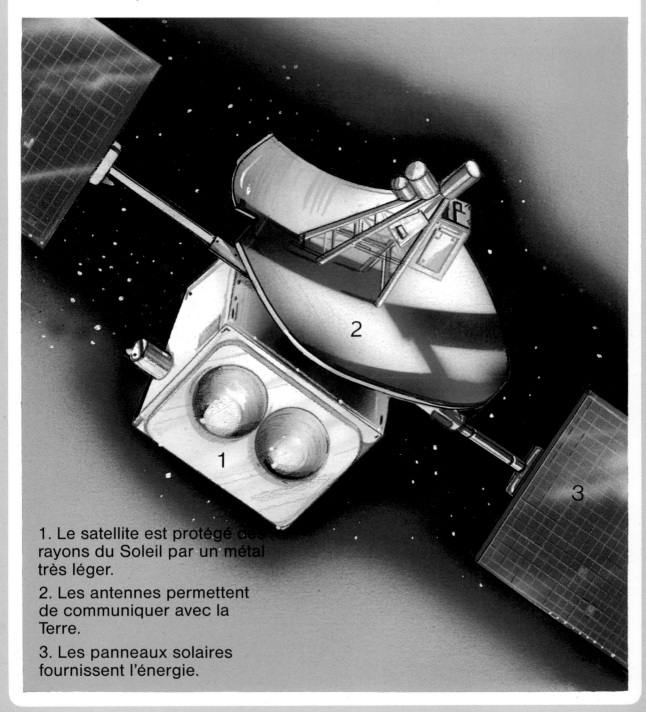

1. Le satellite est protégé des rayons du Soleil par un métal très léger.

2. Les antennes permettent de communiquer avec la Terre.

3. Les panneaux solaires fournissent l'énergie.

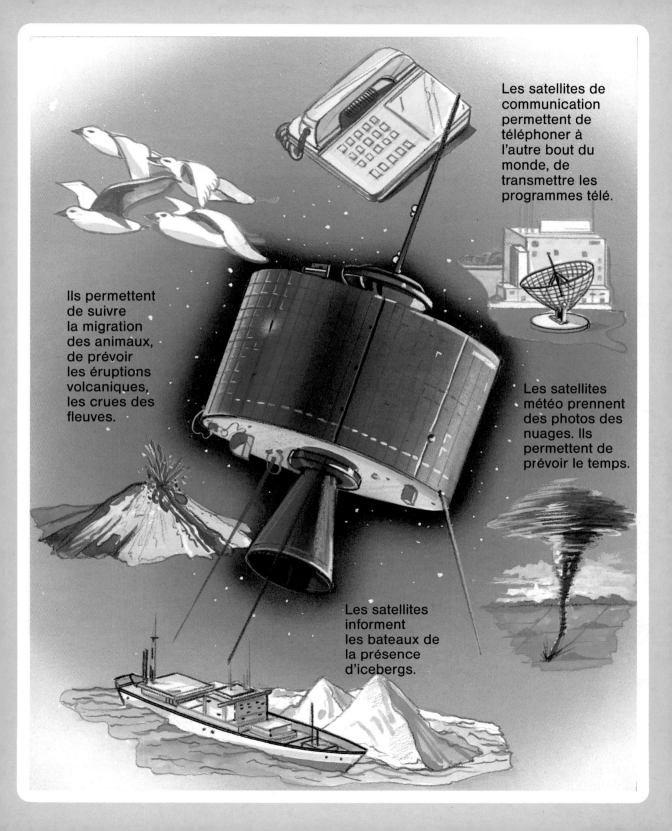

Les satellites de communication permettent de téléphoner à l'autre bout du monde, de transmettre les programmes télé.

Ils permettent de suivre la migration des animaux, de prévoir les éruptions volcaniques, les crues des fleuves.

Les satellites météo prennent des photos des nuages. Ils permettent de prévoir le temps.

Les satellites informent les bateaux de la présence d'icebergs.

UNE BASE LUNAIRE

Les savants ont imaginé une ville sur la Lune. Leurs maisons seraient dans le sol. De là décolleraient des navettes.

DES VILLES DANS L'ESPACE

Des milliers de personnes pourraient vivre dans l'espace. Elles habiteraient d'immenses stations spatiales.

RÉFLÉCHIS BIEN !
Que va larguer la fusée ?
Des météorites (1), un satellite (2) ou une comète (3) ?

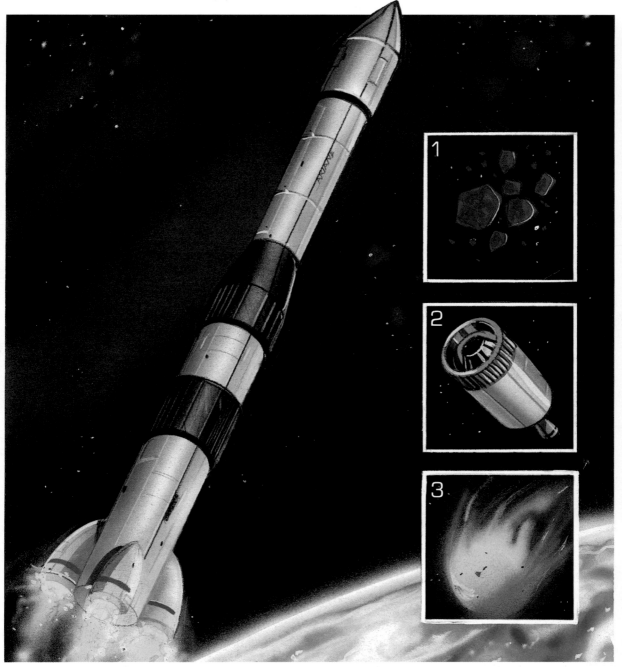

Que fait la fusée pendant son voyage dans l'espace ?

ENCOMBREMENT SUR MARS

De ces trois engins, lequel va atterrir sur Mars ? Si tu hésites,
retourne en arrière à la page sur les sondes.

LEQUEL DES TROIS ?

Regarde bien ces engins. Lequel va revenir sur Terre et atterrir comme un avion ? Lequel va être détruit dans l'espace ?

JOUE AVEC LES EXTRATERRESTRES !

Les savants ont envoyé, par radio, des messages dans l'espace, mais à ce jour personne n'a répondu !

En attendant de rencontrer des extraterrestres, tu peux les imaginer et jouer avec eux. Montre celui qui est dans sa planète, dessus, à côté, derrière, dessous.

UN BONJOUR DEPUIS L'ESPACE

Des astronautes envoient un message radio à leurs enfants restés sur Terre. Retrouve le papa de chaque enfant.

À CHACUN SA FUSÉE

Trois astronautes sont sortis dans l'espace sur leur "fauteuil volant". Peux-tu aider chacun d'eux à retrouver son vaisseau ?

UN GÂTEAU-FUSÉE

Pour fabriquer cette fusée, c'est long, mais ce n'est pas difficile.
Avec l'aide d'une grande personne, suis les indications.

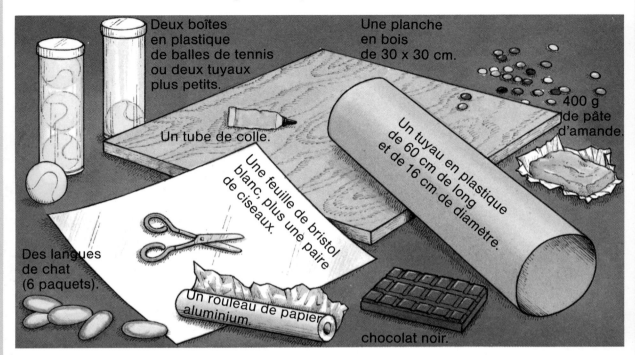

Deux boîtes en plastique de balles de tennis ou deux tuyaux plus petits.

Une planche en bois de 30 x 30 cm.

Un tube de colle.

Un tuyau en plastique de 60 cm de long et de 16 cm de diamètre.

400 g de pâte d'amande.

Une feuille de bristol blanc, plus une paire de ciseaux.

Des langues de chat (6 paquets).

Un rouleau de papier aluminium.

chocolat noir.

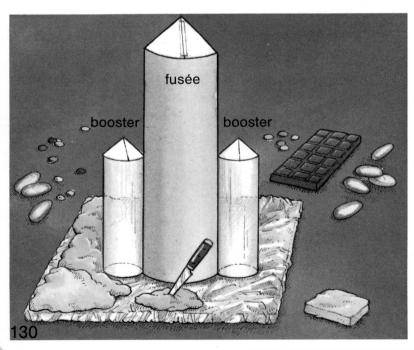

fusée

booster   booster

Colle sur la planche la fusée et les boosters. Colle trois cônes, que tu auras découpés dans le bristol, sur le haut de la fusée et des boosters. Attends que la colle sèche. Recouvre la planche avec du papier aluminium. Étale ensuite 400 g de pâte d'amande.

1. Fais fondre 300 g de chocolat avec un peu d'eau.

2. Enduis la face plate des langues de chat avec le chocolat.

3. Pose-les sur la fusée et les boosters, comme indiqué sur le dessin.

4. Enduis les bonbons de chocolat et pose-les entre les langues de chat.

La fusée obtenue est très spectaculaire et étonnera tes amis.

TABLE DES MATIÈRES

ISBN : 2-215-018-04-6
© Editions Fleurus, Paris 1992.
Dépôt légal Avril 1992

 Réalisé en France par Partenaires

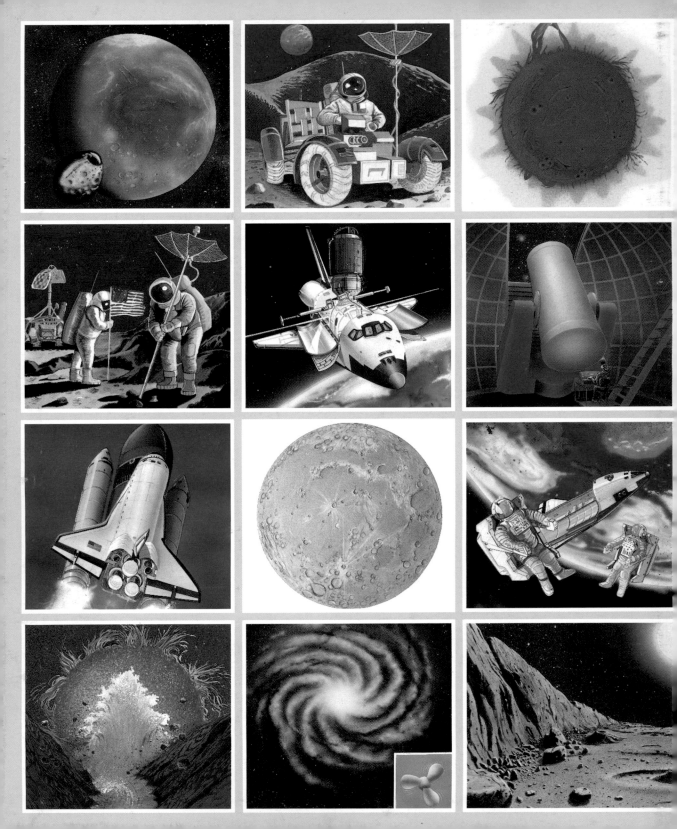